这是我的书
It's MY BOOK
7级：400字

节约用水，从我做起

作者：秦志宁（Zhining Chin）
配图：秦志宁（Zhining Chin）

北京语言大学出版社
BEIJING LANGUAGE AND CULTURE UNIVERSITY PRESS
PHOENIX TREE
PHOENIX TREE PUBLISHING INC.

识读　水龙头　浇水　记住　如果　马桶

句型　如果……就……

字数　434字

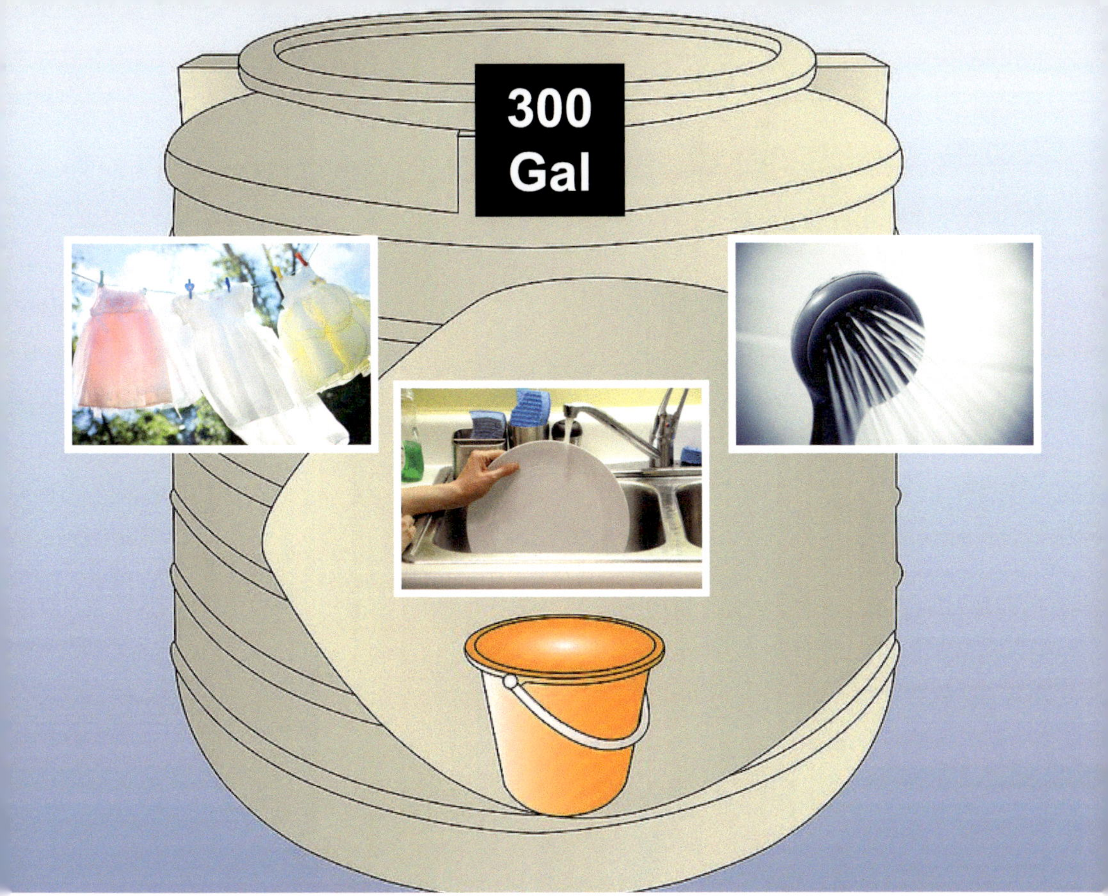

nǐ zhī dào wǒ men měi rén měi tiān yào yòng duō
你知道我们每人每天要用多

shao shuǐ ma zài měi guó yì jiā rén yì tiān yào
少水吗？在美国，一家人一天要

yòng sān bǎi duō jiā lún yì jiā lún yuē děng yú sì shēng
用300多加仑（1加仑 ≈ 4升）

de shuǐ qí zhōng dà yuē bǎi fēn zhī qī shí shì shēng huó yòng
的水，其中大约 70% 是生活用

shuǐ bǎi fēn zhī sān shí shì hù wài yòng shuǐ
水，30% 是户外用水。

nǐ zhī dào zhè xiē shēng huó yòng shuǐ dōu yòng lái
你知道这些生活用水都用来
zuò shén me le ma kàn yi kàn měi guó guān fāng gōng
做什么了吗？看一看美国官方公
bù de shù zì ba bǎi fēn zhī èr shí sì chōng cè suǒ bǎi fēn zhī èr shí
布的数字吧。24%：冲厕所；20%：
lín yù bǎi fēn zhī shí jiǔ shuǐ lóng tóu fàng chu de shuǐ
淋浴；19%：水龙头放出的水；
bǎi fēn zhī shí qī xǐ yī fu bǎi fēn zhī shí èr lòu diào de shuǐ
17%：洗衣服；12%：漏掉的水；
bǎi fēn zhī bā qí tā
8%：其他。

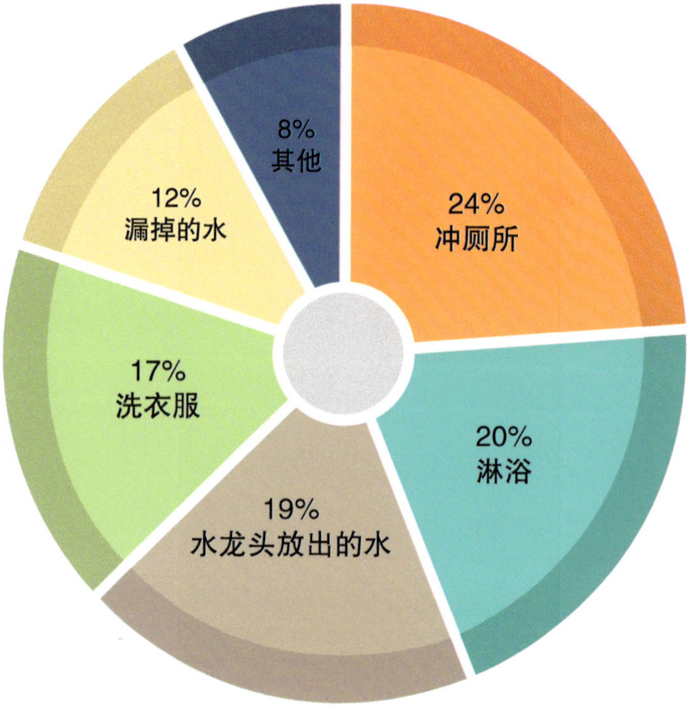

zhè li shì jié yuē yòng shuǐ de yì xiē jiǎn dān
这里是节约用水的一些简单

fāng fǎ
方法：

suí shǒu guān shang shuǐ lóng tóu měi tiān zǎo
● 随手关上水龙头：每天早

wǎn shuā yá shí bǎ shuǐ lóng tóu guān shang nǐ jiù kě
晚刷牙时把水龙头关上，你就可

yǐ jié yuē bā jiā lún de shuǐ yí gè yuè jiù shì
以节约8加仑的水，一个月就是

èr bǎi duō jiā lún
200多加仑。

lín yù bǐ qi zài yù gāng li xǐ zǎo

●淋浴：比起在浴缸里洗澡，

lín yù néng jié yuē hěn duō shuǐ lín yù zhǐ xū yào

淋浴能节约很多水。淋浴只需要

shí dào èr shí wǔ jiā lún de shuǐ yòng yù gāng què yào qī shí

10到 25 加仑的水，用浴缸却要70

jiā lún jì zhù yí gè gèng jiā shěng shuǐ de bàn fǎ

加仑。记住，一个更加省水的办法

shì lín yù de shí jiān bú yào chāo guò wǔ fēn zhōng

是：淋浴的时间不要超过5分钟。

zhèng què shǐ yòng xǐ wǎn

●正确使用洗碗

jī bǎ chī shèng de dōng xi dào

机：把吃剩的东西倒

jìn lā jī tǒng hòu zài bǎ pán

进垃圾桶后，再把盘

zi fàng jìn xǐ wǎn jī zhè yàng

子放进洗碗机，这样

yě kě yǐ jié yuē hěn duō shuǐ

也可以节约很多水。

fáng zhǐ lòu shuǐ rú

● 防止漏水：如

guǒ nǐ jiā de chōu shuǐ mǎ tǒng lòu

果你家的抽水马桶漏

shuǐ le kě néng yì tiān jiù huì

水了，可能一天就会

làng fèi èr bǎi jiā lún de shuǐ

浪费200加仑的水，

zhè jiù hǎo bǐ nǐ bái bái chōng le

这就好比你白白冲了

wǔ shí cì mǎ tǒng

50次马桶。

zhèng què de gěi cǎo dì jiāo shuǐ gěi nǐ jiā
● 正确地给草地浇水：给你家
yuàn zi li de cǎo dì jiāo shuǐ de zuì jiā shí jiān shì
院子里的草地浇水的最佳时间是
zǎo chen huò wǎn shang bú yào zài zhōng wǔ
早晨或晚上。不要在中午
de shí hou jiāo shuǐ yīn wèi zhōng
的时候浇水，因为中
wǔ tiān qì tài rè le dà bù
午天气太热了，大部
fen zhí wù hái méi lái de jí hē
分植物还没来得及喝
shuǐ shuǐ jiù yǐ jīng zhēng fā le
水，水就已经蒸发了。

xǐ chē shí duō yòng shuǐ tǒng shǎo yòng shuǐ

● 洗车时多用水桶，少用水

guǎn xǐ qì chē hé zì xíng chē shí zuì jiǎn dān de

管：洗汽车和自行车时，最简单的

shěng shuǐ bàn fǎ jiù shì ná shuǐ tǒng hé shuā zi lái xǐ

省水办法就是拿水桶和刷子来洗

chē ér bú shì yòng shuǐ guǎn zhí jiē fàng shuǐ chōng xǐ

车，而不是用水管直接放水冲洗。

ràng wǒ men

让我们

yì qǐ lái jié yuē

一起来节约

yòng shuǐ ba

用水吧！

1 你知道我们每人每天要用多少水吗？在美国，一家人一天要用 300 多加仑（1 加仑≈4 升）的水，其中大约 70% 是生活用水，30% 是户外用水。

2 你知道这些生活用水都用来做什么了吗？看一看美国官方公布的数字吧。24%：冲厕所；20%：淋浴；19%：水龙头放出的水；17%：洗衣服；12%：漏掉的水；8%：其他。

3 这里是节约用水的一些简单方法：

- 随手关上水龙头：每天早晚刷牙时把水龙头关上，你就可以节约 8 加仑的水，一个月就是 200 多加仑。

4
- 淋浴：比起在浴缸里洗澡，淋浴能节约很多水。淋浴只需要 10 到 25 加仑的水，用浴缸却要 70 加仑。记住，一个更加省水的办法是：淋浴的时间不要超过 5 分钟。
- 正确使用洗碗机：把吃剩的东西倒进垃圾桶后，再把盘子放进洗碗机，这样也可以节约很多水。

5
- 防止漏水：如果你家的抽水马桶漏水了，可能一天就会浪费 200 加仑的水，这就好比你白白冲了 50 次马桶。

6
- 正确地给草地浇水：给你家院子里的草地浇水的最佳时间是早晨或晚上。不要在中午的时候浇水，因为中午天气太热了，大部分植物还没来得及喝水，水就已经蒸发了。

7
- 洗车时多用水桶，少用水管：洗汽车和自行车时，最简单的省水办法就是拿水桶和刷子来洗车，而不是用水管直接放水冲洗。

让我们一起来节约用水吧！

1
300 Gal

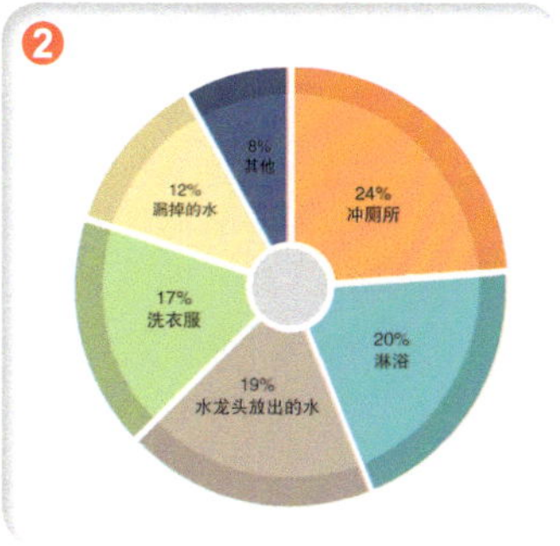
2
8%
其他
24%
冲厕所
20%
淋浴
19%
水龙头放出的水
17%
洗衣服
12%
漏掉的水

3

4

5

6

看图讲故事

7